MOI
Roméo
LE CHATON
Albin Michel
Jeunesse

C’est moi Roméo
le gentil chaton.
J’ai un pelage tout doux,
rayé de blanc, rayé de roux…

Et de belles moustaches
pour faire des guilis
à mon amie Poupie.

Mon papa s'appelle Hercule,
c'est un grand funambule.
Il ne recule devant rien,
surtout pas devant les chiens !

Ma maman s'appelle Prune
et elle est chanteuse.
J'écoute ses berceuses
la nuit au clair de lune.

Parfois il pleut, il mouille,
c’est la fête à la grenouille,
mais pas la mienne,
ouillouillouille !

Alors je vais jouer dans le grenier
avec mes frères et mes sœurs
à cache-cache ou à chat perché.

Grrr ! Assez rigolé !
C'est moi le tigre du Bengale,
je me faufile à pas feutrés
dans la forêt tropicale.

Soudain, je bondis,
sors mes griffes et puis rugis.
Miaou !
Tout le monde s’enfuit.

équipages
ABC

Quand j'ai bien chassé
quel plaisir d'être câliné.
Écoute, ça me fait ronronner !

22, rue Huyghens - 75014 Paris
Loi 49 956 du 16 juillet 1949
sur les publications destinées à la jeunesse.
Dépôt légal : juin 1999
N° d'édition : 11 774/2
ISBN : 2-226-08233-6
ISSN : 12 579 297
Imprimé par PPO Graphic - 93500 Pantin
Imprimé en France

Détache la carte suivant les pointillés

1

2

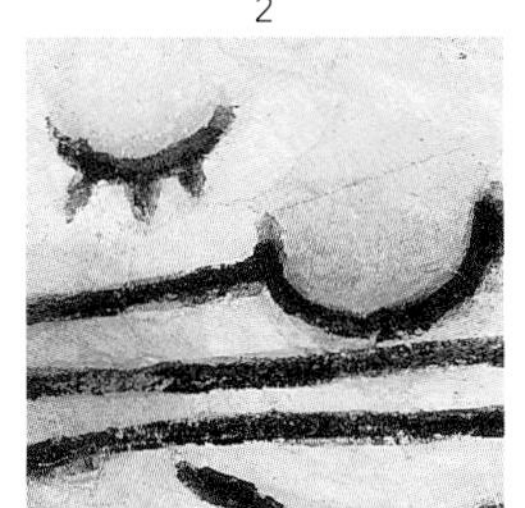

3

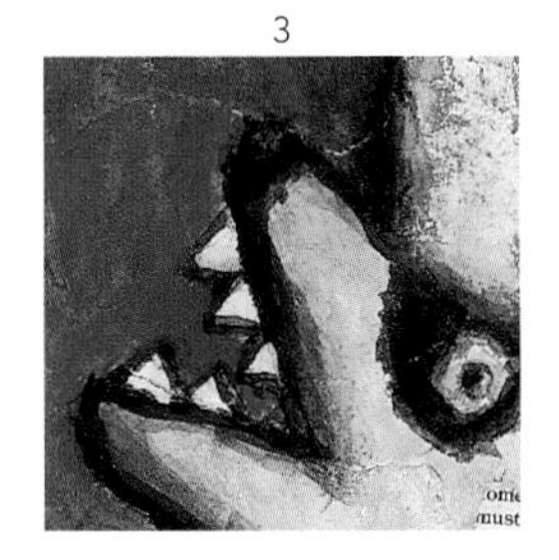

4

Roméo LE CHATON

10

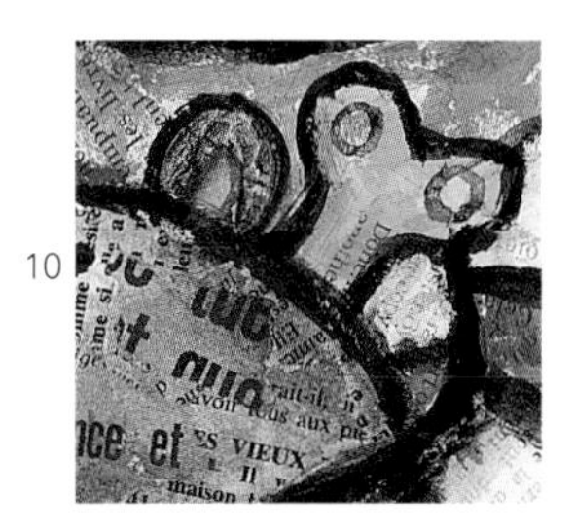

# Joue avec moi !

Voici dix détails à retrouver
dans les dix images du livre.
Sers-toi de la petite fenêtre
et bon voyage dans mes pages !

5

9

8

7

6